Do Doodles agus Moo-moo

Clár

1
Cartún sa Seomra Ranga

Tá mé ag tarraingt pictiúir, chomh tapa is atá mé in ann.

Déanaim dhá chiorcal do na súile, dhá líne chama do na **malaí*** agus **srón bhiorach****.

Tá Marcas, an cara is fearr liom, ina shuí le mo thaobh. Tá a lámh ag crith. Tá sé ag faire ormsa agus mé ag tarraingt agus tá sé ag iarraidh gan a bheith ag gáire. Déanaim scríob trasna an leathanaigh le mo pheann; tá béal mór déanta agam. Cuireann sé sin Marcas ag sciotaraíl. Suas síos le mo lámh, le gruaig fhiáin a dhéanamh. Tá Marcas ag iarraidh guaim a choinneáil air féin. Critheann an deasc. Féachaim anonn air. Tá a fhios agat nuair a bhíonn tú ag iarraidh bheith ag gáire gan fuaim a dhéanamh? Tagann dath dearg ar d'éadan. Bíonn smaois ag sileadh anuas de do shrón. Ní bhíonn tú in ann suí

---

*   **malaí:** dhá líne gruaige a fhásann os cionn do dhá shúil
** **srón bhiorach:** srón a bhfuil barr géar uirthi

1

go socair ar do shuíochán. Sin mar atá ag Marcas – ar nós buidéal mór Coke a bhfuil paicéad iomlán *mints* brúite síos ann agus atá réidh anois le pléascadh. An ndearna tú féin riamh an cleas sin le Coke agus *mints*? Dá bhfeicfeá an slabar a dhéantar nuair a phléascann sé!

Tá súil agam nach bpléascfaidh Marcas go fóillín. Mhillfeadh sé sin gach rud. Nílim ag iarraidh go mbéarfaí orm sula gcríochnaím an phortráid seo den mhúinteoir. Tugaim drochshúil do Mharcas le rá leis éirí as agus féachaim i dtreo bharr an ranga. Tá an Máistir Puirséal cromtha os cionn a chuid oibre. Tá sé ag ceartú ár gcuid obair bhaile agus níl rud ar bith tugtha faoi deara aige. Ach is gearr go mbeidh. Tá cailín tar éis casadh timpeall, féachaint cad tá ag cur as do Mharcas. Tagann gáire ar a béal agus beireann sí ar lámh a cara. Anois, tá an bheirt acu **ag breathnú*** siar is ag sciotaráil gáire.

Tá a fhios agam nach fada go bpléascfaidh Marcas.

Cúpla amharc eile agus tá carbhat **brocach**** déanta agam agus seaicéad atá róbheag le bolg mór a chlúdach. Cúpla line eile agus tá na cnaipí déanta, iad beagnach stróctha anuas den seaicéad ag an mbolg atá ag brú amach ina gcoinne.

* **ag breathnú:** ag féachaint, ag amharc
** **brocach:** salach

2

'Joe!!' a bheiceann an Máistir Puirséal.

Baintear geit asam. Léimeann an peann amach as mo lámh. Beirim ar an bpeann díreach sula rolálann sé anuas den deasc, ach ní fhéachaim suas.

Casann na cailíní thart agus féachann chun tosaigh arís.

Cromann siad os cionn a gcuid leabhar agus feicim ón gcaoi a bhfuil a nguaillí ag crith go bhfuil siad fós ag sciotaráil. Féachaim ar leataobh. Tá **strainc*** ar Mharcas ar nós duine a raibh pian air. Éiríonn an Máistir Puirséal dá chathaoir agus tarraingíonn sé a sheaicéad anuas ar a bholg. 'Joe!' a deir sé arís.

'Bhfuil tusa ag tarraingt?'

'Nílim a mháistir'. A leithéid de bhréag. Casaim leathanach i mo chóipleabhair agus ligim orm go bhfuilim ag scríobh. Nílim go maith ag ligint orm. Ní chreideann Puirséal mé. 'Fág an obair sin don rang ealaíne, ok, Joe?'

'Ceart go leor, a mháistir,' a deirim.

'Féadfaidh tú oiread fathach agus carachtair aisteacha is mian leat a tharraingt ansiúd'.

Pléascann Marcus.

'PAA HA HA HA!' Tá a gháire chomh hard sin gur féidir é a chloisteáil ar an taobh eile ar fad den scoil.

---

* **strainc:** scaimh (grimace)

Is beag nár éirigh mé as an tarraingt an téarma roimhe seo.

Is beag nár éirigh mé ar fad as cartúin a tharraingt. Rud mór a bheadh ann domsa dá n-éireoinn as an ealaín.

Is í an ealaín an t-ábhar is fearr agam.

Is é an t-aon ábhar é a bhfuilim go maith aige. Is aoibhinn liom bheith ag tarraingt.

Déanaim pictiúir de dhaoine, de mo chairde, de chaitíní, is de na múinteoirí. Uaireanta, déanaim spásairí, zombaithe, agus carachtair aisteacha eile.

Bím ag tarraingt go seasta síoraí, fiú nuair nach bhfuil cead agam bheith ag tarraingt. Ach tá pictiúir áirithe ann nach mbeidh mé ag tarraingt níos mó, go deo arís i mo shaol. Ní bheidh mé á dtarraingt de bharr rudaí a tharla an téarma roimhe seo.

Bhí mé i dtrioblóid an-mhór an téarma roimhe seo de bharr pictiúir áirithe a tharraing mé. Trioblóid a chuir **sceoin*** ionam ag an am.

Seans nach gcreidfidh tú mo scéal, ach is mar seo a tharla.

---

*   **sceoin:** scéin, faitíos, eagla an-mhór

2
Mise agus Aoibheann

Bhí múinteoirí ag tabhairt amach dom an t-am ar fad an téarma seo caite de bharr go raibh mé ag tarraingt sa rang.

An t-aon áit nár tugadh amach dom ná sa rang ealaíne. Bíonn rang dúbalta ealaíne ann tráthnóna Dé hAoine. Sin an rang is deise liom ar feadh na seachtaine go léir. Tá dhá chúis leis sin: uimhir a haon, an ealaín an t-aon rud a bhfuil mé go maith aige; Uimhir a do, Aoibheann.

Aoibheann Nic Eoin an t-ainm iomlán atá uirthi. Agus tá sí go haoibhinn mar dhuine, ar nós a hainm. Agus go haoibhinn le breathnú uirthi chomh maith! Agus tá sí **cumasach*** ag an ealaín. An rud ab fhearr faoin rang dúbalta ealaíne an téarma seo caite ná an deireadh. Bhínn ag faire ar an gclog os cionn an dorais ar nós gach duine eile sa rang. Ach ní

---

*   **cumasach:** an-mhaith, tá bua ar leith aici

mar gheall go raibh mé ag súil le tús a chur leis an deireadh seachtaine.

Bhí mé ag faire ar lámh na nóiméad agus é ag triall go mall, mall ó 3:10, 3:15, 3:30. B'fhada liom go mbuailfeadh an clog. Mar nuair a bhuailfeadh, ní bheadh ann sa seomra ach Aoibheann Nic Eoin agus mé féin. Thabharfadh an múinteoir ealaíne, Bean de Róiste, cead do dhuine ar bith a raibh suim ar leith acu san ealaín fanacht ar feadh uair an chloig sa bhreis. Níor fhan riamh ach an bheirt againn, mise agus Aoibeann. Bhí sé i gceist aici siúd staidéar a dhéanamh ar chúrsaí faisin nuair a d'fhágfadh sí an scoil.

D'fhanadh sí siar tráthnóna Dé hAoine leis an inneall fúala a úsáid agus le bheith ag obair ar a **portfóilió*** ealaíne. D'fhanainn féin chomh maith. Shuínn ag bun an tseomra agus liginn orm go raibh mé ag tarraingt spáslonga nó carranna rásaíochta. Ach ní raibh. Ag tarraingt pictiúr d'Aoibheann a bhí mé. Tharraing mé grauig fhada gheal Aoibhinn agus í ag sileadh síos thart ar a cluas. Tharraing mé a cuid fiacla geala agus iad ag luí anuas ar a liopa. Tharrraing mé í agus í ag fuáil. Ba chuma céard a bhí ar siúl aici, bhí sí go hálainn. Bhí mé craicéaillte

---

* **portfóilió:** bailiúchán píosaí ealaíne a bhíonn le réiteach le cur isteach ar áit i gcoláiste ealaíne.

fúithi. Ach má bhí, níor chuir sise mórán suime ionamsa. Níor bhreathnaigh sí riamh anall orm ag bun an tseomra ealaíne.

Níor thug sí faoi deara go raibh mé ann. Ní raibh a fhios aici go raibh mé ar an saol.

Ach ba chuma liomsa nach raibh aon aird aici orm. Ba chuma i ndáiríre. Ba leor dom bheith sa seomra céanna in éineacht léi. Ba shin **buaicphointe na seachtaine*** dom. Ach bhí rud amháin ann a mhillfeadh i gcónaí é.

Bhuel, duine amháin, le bheith cruinn. Bhí buachaill ag Aoibheann. Colm Bairéad ab ainm dó agus bhí an ghráin agam air. Bhuaileadh sé an doras isteach thart ar a ceathair a chlog. Isteach leis **go teann****, amhail is gur leis féin an áit.

'Hé, béib,' a deireadh sé le hAoibheann. D'fheicinn súile Aoibhinn ag díriú i dtreo na spéire agus ar ais anuas ar a cuid oibre. 'Hé, a leana,' a deireadh sé arís. 'Seo linn amach **as an bprochóg***** seo.'

'Níl mé réidh,' a deireadh Aoibheann. 'Tabhair deich nóiméad eile dom.'

Ní raibh Colm go maith ag fanacht. Shiúladh sé thart ar an Seomra Ealaíne, ag ciceáil cos cathaoireach anseo is ansiúd. Phiocadh sé suas peann daite nó píosa cailce agus tharraingíodh sé rudaí gránna ar phictiúir a bhí ar crochadh ar na ballaí.

Dhéanadh sé gleo 'cic cic cic' lena theanga. Chasadh sé píosa d'amhrán agus bhogadh sé a thóin anonn is anall agus é ag bualadh in aghaidh deasc anseo agus cathaoir ansiúd.

Uaireanta thagadh Bean de Róiste amach as a hoifig agus chuireadh sí **an ruaig*** air. Ach formhór an ama, bhí **cead a chinn**** ag Colm bheith ag diabhlaíocht thart ar an Seomra Ealaíne go dtí go raibh a dóthain ag Aoibheann de.

'Ok,' a deireadh sí d'osna. 'Tá mé ag pacáil'.

Bhailíodh sí a cuid pinn luaidhe agus chuireadh sí an clúdach ar ais ar an ineall fúala. Ansin d'fhágadh sí féin agus Colm agus bhínn féin fágtha i m'aonar, mé féin agus mo leabhar sceitseála.

Tráthnóna Aoine amháin, bhí an diabhal ceart ar Cholm. Rinne sé magadh faoi ealaín na cúigiú bliana, a rá go raibh sé féin i bhfad níos fearr ag an ealaín ná duine ar bith acu. Bréag amach is amach a bhí sa mhéid sin. Dúirt sé go raibh a chuid ealaíne féin thar barr – agus ní ar bhallaí Seomra Ealaíne na scoile a bhí sí le feiceáil ach oiread. Bhí a chuid

---

* **an ruaig:** deireadh sí leis imeacht
** **cead a chinn:** cead iomlán

ealaíne siúd le feiceáil ar chúl na pictiúrlainne agus faoin droichead amuigh ar an mótárbhealach agus i gcarrchlós an ionaid siopadóireachta istigh sa bhaile mór. Graifítí an t-aon ealaín cheart, a dúirt sé. Chonaic na mílte duine a chuid ealaíne siúd gach lá. Ní istigh i bhfráma, crochta ar an mballa i ngailearaí seafóideach éigin a bhí a chuid pictiúr siúd.

'Ní théann isteach i ngailearaí ealaíne ach amadán a bhfuil an iomarca airgid acu,' a dúirt sé. 'An ealaín is fearr ná an chuid atá ar fáil saor ina aisce ar na sráideanna.

Chuireadh Colm olc orm.* Amadán a bhí ann, dar liom. Cén fáth go raibh cailín chomh deas le hAoibheann ag dul amach leis? Shuigh mé go ciúin sa chúinne, agus in ionad bheith ag éisteacht lena chuid seafóide, shamhlaigh mé drochrudaí ag tarlú do Cholm Bairéad. Shamhlaigh mé é ag tachtadh ar bhurgar. Shamhlaigh mé leoraí mór ag déanamh pancóige de agus é ag dul trasna na sráide. Shamhlaigh mé splanc tintrí á bhualadh agus é ag spraephéinteáil ar bharr Halla an Bhaile.

Nuair a bhí sé féin agus Aoibheann imithe, tharraing mé pictiúr de Cholm Bairéad i mo leabhar sceitseála. B'shin botún.

Botún mór.

---

*   **Chuireadh Colm olc orm:** dhéanadh Colm crosta mé

3
Ag fáil réidh le Colm

As sin go ceann seachtaine, tharraing mé go leor pictiúr de Cholm Bairéad. Tharraing mé é agus é ag spraephéinteáil ar chúl na pictiúrlainne. Tharraing mé é agus é á leagan ag leoraí faoin droichead amuigh ar an mótárbhealach.

Tharraing mé é agus é á ithe ag zombaithe i gcarrchlós an ionaid siopadóireachta. Ansin tharraing mé é agus Aoibheann ag fáil réidh leis. Tharraing mé Aoibheann ag fágáil slán aige agus ansin í ag imeacht le bheith ina dearthóir cáiliúil faisin. Tharraing mé í ag siúl síos **ardán taispeána*** ag deireadh seo faisin mór millteach.

---

* **ardán taispeána:** stáitse caol a siúlann na mainicíní suas síos ann ag seó faisin

14

Faoin Aoine bhí mo leabhar sceitseála líonta le bealaí chun fáil réidh le Colm Bairéad agus na rudaí a dhéanfadh Aoibheann nuair a bheadh sí réidh leis. Ag a ceathair a chlog, bhí mé ag críochnú pictiúr d'Aoibheann agus í ag dul ar bord a heitleáin phríobháidigh féin nuair a phléasc Colm an doras isteach. Mhill sé gach rud.

'Céard atá ar súil?' a bheic sé agus é ina sheasamh ag an doras. Shín sé amach a dhá lámh agus shiúil sé isteach, amhail gur duine cáiliúil a bhí ann. 'Is mé atá ann!' a bheic sé, agus é ag beannú do na *fans* ar fad a shamhlaigh sé bheith os a chomhair. Rinne Aoibheann neamhaird de agus choinnigh uirthi ag brú píosa éadaigh tríd an inneal fúala. Bhrúigh sí ar **an troitheán***. Rinne an t-inneall gleo agus é ag slogadh isteach an éadaigh.

'Nach bhfuil tú réidh fós?' arsa Colm. Chrith Aoibheann a ceann.

Chas Colm i dtreo chúl an tseomra. 'Céard atá ar súil ag an bpleidhce sin thíos?' a deir sé.

D'airigh mé** ar nós coileán beag a bhí tar éis siúl amach ar an mótárbhealach, ag féachaint ar an leoraí a bhí ar tí é a leagan.

---

*   **an troitheán:** cnaipe nó laiste mór ar an urlár a chuir an t-inneall ar siúl.

** **D'airigh mé:** mhothaigh mé, bhraith mé.

'Hé!' arsa Colm nuair a tháinig sé chomh fada le mo dheasc. 'Tá sé ag tarraingt pictiúir díot, Aoibheann. Tá sé sin as bealach, a mhaicín!'

Bhí mé tar éis dearmad a dhéanamh mo leabhar sceitseála a dhúnadh. Sula raibh deis agam é sin a dhéanamh, shín Colm isteach agus sciob sé uaim é. Chaith sé san aer é, anonn trasna an tseomra.

'Féach, féach!' a bhéic Colm ar Aoibheann. 'Tá na pictiúir ar fad seo déanta aige díotsa. Tá sé sin an-aisteach, nach bhfuil? Ba cheart dúinn insint do na múinteoirí faoi - nó na Gardaí féin! D'fhéadfadh sé tú a **ionsaí*** nó rud éigin.'

Shuigh mé ann, **i mo staic****. Ní raibh mé in ann bogadh. Bhí mo leabhar sceitseála ag Colm agus é brúite isteach faoi shrón Aoibhinn aige. Lig mé osna. Dhún mé mo shúile. Bhí m'éadan ar lasadh leis an náire. Cheap mé go bpléascfadh mo chloigeann ina lasracha tine soicind ar bith agus go dtitfeadh sé **ina charn luaithrigh***** ar úrlar an tseomra ealaíne. Bheadh ar an nglantóir é a scuabadh suas in éineacht leis an mbruscar eile. Bheadh orm mo bhealach abhaile a aimsiú gan cloigeann ar bith orm.

---

*   **ionsaí:** cur isteach ort go fisiciúil ar bhealach a ghortódh tú
**   **i mo staic:** mé gan bogadh, mar a bheadh dealbh ann
***   **ina charn luaithrigh:** luaithreach – an púdar a bhíonn fágtha i ndiaidh rud éigin a bheith dóite go hiomlán

Stop an t-inneall fuála ag gleo agus d'oscail mise leathshúil. Bhí Aoibheann ag breathnú suas ar an leabhar. **Bhain sí searradh as a guaillí*** agus bhrúigh sí a cos ar an troitheán. Thosaigh an t-inneall ag gleo arís agus ag tarraingt isteach an éadaigh.

Ní mó ná sásta a bhí Colm. Chaith sé mo leabhar sceitseála thar a ghualainn. D'oscail an leabhar agus é ag eitilt. Leaindeáil sé isteach i gceann de na doirtil a bhí taobh le doras an tSeomra Ealaíne. Anonn chuig an mballa le Colm. Tharraing sé amach plocóid inneall fuála Aoibhinn. Stop an t-inneall.

'Hé!' arsa Aoibheann. 'Cén fáth a ndearna tú é sin?'

Bhí fearg uirthi. Rinne mé gáire beag. Bhí Colm tar éis dul thar fóir an uair seo. B'fhéidir go dtabharfadh Aoibheann **bata agus bóthar**** dó. Chrosáil mé mo mhéara.

'Dúirt tú liom go mbuailfeá liom ag na geataí,' arsa Colm.

'Tá fhios agam ach', a thosaigh Aoibheann a rá.

Bhris Colm isteach uirthi. 'Gheall tú go mbeifeá réidh faoina ceathair a chlog.'

---

* **Bhain sí searradh as a guaillí:** d'ardaigh sí agus d'ísligh sí a guaillí le tabhairt le fios nach raibh a fhios aici

** **bata agus bóthar:** b'fhéidir go ndéarfadh sí nach raibh sí ag iarraidh siúl amach le Colm níos mó

D'fhéach Aoibheann suas ar an gclog os cionn an dorais. 'Níl ann ach trí nóiméad ina dhiaidh,' a deir sí.

'Bhuel tá mo dheartháir ag fanacht orainn. Ní thabharfaidh sé chuig an gceolchoirm muid mura mbeidh muid ann, ag an ngeata.'

'Ok.' Rinne Aoibheann miongháire. 'Brón orm.'

Thit mo chroí mar a bheadh cloch ann a bhí á caitheamh isteach san abhainn. Ní raibh Aoibheann chun scaradh le Colm beag ná mór. Ag dul amach leis a bhí sí. Bhí sí tar éis a iompar drochbhéasach a mhaitheamh dó, cé go raibh sé ar an duine ba mhó ar domhan a chuirfeadh pian ar do thóin. Chlúdaigh mé **m'éadan*** le mo dhá lámh. Nuair a bhain mé anuas arís iad, bhí an t-éadach curtha as an áit ag Aoibheann, bhí a mála pioctha suas ag Colm agus bhí an bheirt acu ag bailiú leo amach an doras.

'Úúúu is fuath liom é siúd,' arsa mise liom féin. 'Ba bhreá liom dá...ba bhreá liom dá...bhfaigheadh sé bás!'

Léim mé i mo sheasamh agus anonn chuig an doirteal liom. Bhí mo leabhar sceitseála caite thíos ann. Sciob mé suas é. Rug mé greim ar mharcóir agus thosaigh mé ag scríobadh agus ag scrábadh. Choinnigh mé orm go dtí go raibh an dúch sa

* **m'éadan:** m'aghaidh

mharcóir caite. Ach bhí fearg orm i gcónaí. Thosaigh mé ag stróiceadh na leathanach.

Bhí sé níos deacra é sin a dhéanamh ná mar a cheap mé. Bhí an clúdach láidir go maith agus bhí an páipéar sách tiubh. Tharraing mé amach cúpla leathanach, b'shin an méid. Rinne mé **burla***
de chuid de na pictiúir. Thriail mé na leathanaigh a stróiceadh arís ach ghearr mé m'ordóg ar imeall an pháipéir. Chuir an gearradh pian orm agus lig mé béic asam.

'An **pleota**** sin Colm! An pleota gránna!' a bhéic mé. Chaith mé uaim an leabhar arís chomh láidir is a bhí mé in ann. An uair seo, bhuail sé isteach i bpróca scuabanna taobh leis an doirteal. A leithéid de ghleo is a rinne sé.

Isteach le Bean de Róiste. 'Cad atá ar siúl anseo? Joe? Cad tá ort in aon chor? Agus cá bhfuil Aoibheann?'

Stán mé ar an urlár. 'Tá sí imithe,' a dúirt mé.

'Bhuel, sílim go bhfuil sé in am agatsa bheith ag imeacht chomh maith, nach bhfuil?' a d'fhreagair sí.

'Tá. Tá brón orm.' Phioc mé suas mo leabhar sceitseála agus amach an doras liom.

---

*   **burla:** cnap, liathróid
** **pleota:** amadán

4
An Timpiste

Maidin Dé Luain, bhí an scéal mór ag gach duine. Mise an t-aon duine nach raibh tar éis cloisteáil faoin timpiste a bhí ag Colm.

'Nár chuala tú faoi?' arsa Marcas, nuair a bhuail mé leis ag geata na scoile.

'Cén rud?' a dúirt mise.

'Faoi Cholm' arsa Marcas. Bhain sé a *iphone* as a phóca agus d'oscail sé téacs a bhí faighte aige. Shín sé chugam an fón. '***OMD!* Colm san ospidéal!! Seans go bhfuil sé caillte***!'

Is beag nár chaith mé amach mo bhricfeasta.

'Níl sé caillte,' arsa Marcas. 'Ach tá sé gortaithe go dona. Chuala mé go bhfuair sé os cionn céad **greim****.'

D'oscail sé téacs eile.

---

*   **OMD!:** Ó mo Dhia!
**   **greim:** stitch

'Colm san ospidéal!' a bhí scríofa sa téacs seo.
'**Nuair a chonaic sé snáthaid do na greimeanna, chaoin sé ar nós babaí beag. GOA*.**'

Rinne mé gáire beag.

Faoin am ar tháinig am sosa, bhí tuilleadh den scéal cloiste agam. Bhí tuilleadh téacsanna agus físeanna cloiste agam agus bhí ráflaí go leor cloiste agam chomh maith. Idir gach rud, bhí tuairim mhaith agam faoin méid a tharla do Cholm.

Oíche Dé Sathairn, is cosúil go raibh Colm agus a chairde, na 'healaíontóirí', ag spraeáil graifítí san ionad siopadóireachta.

* **GOA:** Gáire Os Ard

22

Bhí siad ag obair ar phictiúr de bhlaosc mhór mhillteach a chur ar dhoras ardaitheora nuair a chonaic beirt gharda slándála iad. Rith na 'healaíontóirí.' Síos an staighre leo agus amach ar an bPríomhshráid. Bhí Colm agus a chairde go maith ag rith agus ba ghearr gur éalaigh siad ó na gardaí. Ach bhí siad **bíogtha*** tar éis na heachtra agus choinnigh siad orthu ag rith. Níor stop siad go dtí gur bhain siad an stáisiún bus amach. Shuigh siad síos ar na céimeanna agus tharraing siad anáil. Nuair a dhreap Colm balla le **damhsa buacach**** a dhéanamh, bhain duine acu amach fón agus thosaigh sé ag taifeadadh. Bhí Colm ag gáire agus bhí a dhá dhorn san aer aige. Ansin sciorr sé ar leataobh agus thit sé anuas. Nuair a d'éirigh sé, chonaic sé go raibh a lámh chlé gearrtha aige óna mhéara suas go dtí an uillinn. D'iompair a chairde chuig an ionad A & E san ospidéal. Bhí rian braonta fola fágtha aige an bealach ar fad trí lár an bhaile. Bhí cailín tar éis pictiúr a thógáil den rian fola agus bhí sé sin roinnte ar Instagram aici.

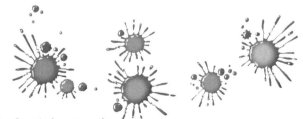

* **bíogtha:** tógtha, spreagtha
** **damhsa buacach:** damhsa a dhéanann duine nuair a bhíonn an bua acu

Faoi am ar tháinig am lóin, bhí gach duine tar éis na pictíuir den fhuil agus an físeán de Cholm ag titim a fheiceáil, arís agus arís eile. Nuair a shiúil sé isteach príomhgheata na scoile, díreach sular thosaigh na ranganna arís, cuireadh fáilte roimhe ar nós duine a raibh clú agus cáil air. Lean slua isteach chuig an halla é.

'An fíor go bhfuair tú os cionn céad greim?' arsa cailín ón idirbhliain leis.

'Bhuel, ní bhfuair. Ceithre cinn déag a fuair mé. Ach tá gach ceann acu mór millteach,' arsa Colm. D'ardaigh sé an lámh a raibh an bindealán uirthi. 'Agus chaill mé an t-uafás fola.'

'Úúúúú!' arsa an slua.

'An raibh pian ort?' a d'fhiafraigh buachaill ón gcéad bhliain.

'Ara, ní raibh,' arsa Colm. 'Níor chuir sé isteach ná amach orm.'

'An mbeidh marc ar do lámh go deo?' a d'fhiafraigh duine eile.

'Níl fhios agam. Seans go mbeidh,' arsa Colm.

Bhuail an clog agus thosaigh Colm agus a chairde ag imeacht chuig a gcuid ranganna. Ach ní raibh mise in ann bogadh. Mhothaigh mé tinn. Bhí smaoineamh scanrúil tar éis rith liom. Dhún mé mo shúile ach níor imigh an smaoineamh. Nuair a

bhí mé liom féin **sa phasáiste*** folamh, bhain mé
mo leabhar sceitseála amach as mo mhála. D'oscail
mé an clúdach stróicthe. Chas mé na leathanaigh.
Ar chúl an leabhair a bhí na pictiúir a rinne mé de
Cholm. Bhí mo chroí ag bualadh ar nós druma. Ba iad
seo na leathanaigh a thriail mé stróiceadh amach.
Na cinn a scríob mé leis an marcóir. Agus ansiúd,
ar cheann de na pictiúir, chonaic mé rud a chuir
fuarallas** amach tríom.

Bhí scríob domhain, dubh trasna an pháipéir.
Thosaigh sé ag lámh Choilm agus shín sé chomh
fada suas lena uilleann.

Dhún mé an leabhar de phlab agus sháigh mé síos
i mo mhála é. Ní raibh baint ar bith ag an bpictiúr
sin le timpiste Choilm, a dúirt mé liom féin. Baint dá
laghad, ní raibh aige.

---

* **sa phasáiste:** spás caol taobh istigh den scoil a mbíonn daoine ag siúl ann le
dul ó sheomra go seomra
** **fuarallas:** allas fuar

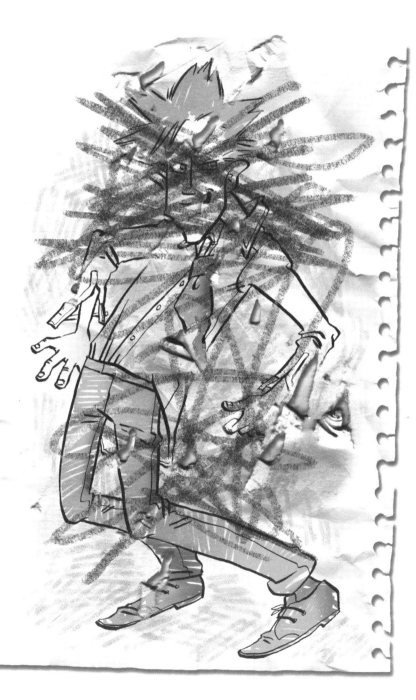

5
Tubaiste sa Cheaintín

Rinne mé dearmad glan ar an bpictiúr scríobtha sin go dtí am lóin an lá dár gcionn. Bhí mé tar éis Colm a sheachaint ar feadh na maidine. Ach ní fhéadfaí é a sheachaint sa cheaintín. Chuaigh mé féin agus Marcas isteach sa líne. An chéad rud eile, isteach an doras le Colm agus a chairde siúd. Shiúil sé suas chomh fada linn.

'Hé! An leaidín aisteach sin a bhfuil súil aige ar mo chailín,' a deir sé. 'B'fhearr duit fanacht amach uaithi, a **amadáinín***.'

Níor chas mé timpeall. D'fhéach mé chun tosaigh agus thriail mé **neamhaird**** iomlán a dhéanamh air. Bhrúigh mé mo lámha isteach i mo phócaí agus rinne mé dhá dhorn de mo lámha.

---

*   **amadáinín:** amadán beag
**   **neamhaird:** gan aird ar bith

'Chuir tú isteach go mór uirthi, tá fhios agat,' arsa Colm. 'Dúirt sí go gcuirfeadh sí glaoch ar na Gardaí dá ndéanfá oiread agus ceann amháin eile de na cartúin aisteacha sin di.'

'An ceart aici,' a dúirt a chara. '**Gealt***. Cuir fios ar na Gardaí.'

Mhothaigh mé m'éadan ag éirí dearg. Bhí a fhios agam nach raibh Aoibheann trína chéile nuair a thaispeáin Colm di na pictiúir. Cheap mé go bhfaca mé miongháire beag ar a béal agus í ag féachaint orthu. Ach b'fhéidir go raibh dul amú orm. B'fhéidir nach miongháire a bhí ann beag ná mór.

'Coinnigh amach uaithi, an gcloiseann tú mé?' arsa Colm agus é ag sá a mhéire i mo chliabh. 'Gealt.'

Chas mé mo cheann agus chlaon mé é ach ní raibh mé in ann féachaint air. Bhí mo dhá ascaill ag barcadh allais. Mhothaigh mé go raibh mo choiléar do mo thachtadh. Bhí a fhios agam go raibh m'éadan chomh dearg le tráta. Bhí mé ag iarraidh mo dhá dhorn a tharraingt amach as mo phócaí agus Colm Bairéad a bhualadh sa phus. Ach ní raibh mé in ann mo lámha a bhogadh. Bhí mé ag iarraidh rud éigin fíorchliste a rá leis, ach bhí a fhios agam dá n-osclóinn mo bhéal nach dtiocfadh amach ach

---

* **Gealt:** duine craiceáilte

seafóid. Nó b'fhéidir go ligfinn **brúcht***. Ba bhreá liom dá mbaileodh sé leis agus cur isteach ar dhuine éigin eile. Bhí Colm ag déanamh amadáin díom os comhair mo chairde, os comhair na scoile ar fad agus os comhair Aoibhinn.

Bhí fearg orm. Ach ní feargach le Colm a bhí mé. Bhí mé feargach liom féin. Ní raibh ionam ach **meatachán****. Ní raibh mé in ann an fód a sheasamh ina choinne. Níorbh é Colm a chuir an chuma orm nach raibh misneach ar bith agam. Mise a rinne é.

Bhog líne an cheaintín chun tosaigh. Fuair mé féin agus Marcas bia. Chonaiceamar dhá spás ag bord sa chúinne. D'fhéach mé ar Cholm agus é ag dul trasna an tseomra chun suí le hAoibheann.

Chas mé mo dhroim leo. Ní raibh mé ag iarraidh smaoineamh ar Aoibheann agus an tuairim a bhí aici díom. Bhí na pictiúir i mo leabhar sceitseála feicthe aici. Cheap sí gur gealt a bhí ionam, mar a cheap Colm. Cheap sí gur **stalcaire***** a bhí ionam. Cheap sí gur amadán a bhí ionam. D'fhéach mé síos ar mo phláta. Bhí an chilli ag triomú amach ar bharr an phráta bhácáilte. Bhí cuma ghránna air. Bhrúigh

---

*   **brúcht:** glór a dhéantar nuair a thagann gás aníos ón mbolg agus amach tríd an mbéal.
**   **meatachán:** duine a mbíonn eagla air roimh dhaoine eile
*** **stalcaire:** duine a bhíonn ag leanúint duine eile ar bhealach scanrúil agus ag smaoineamh orthu go síoraí

mé uaim an trádaire agus tharraing mé chugam mo
leabhar sceitseála.

Tharraing mé pictiúr de mo ghloine uisce.
Tharraing mé an forc agus an pláta chilli. Ansin
d'fhéach mé suas agus thosaigh mé ag tarraingt an
cheaintín. Tharraing mé an tUasal Puirséal ag bord
na múinteoirí agus an glantóir a bhí ag carnadh
plátaí ar **thralaí***. Tharraing mé cathaoireacha
folmha agus na crainn taobh amuigh de na
fuinneoga. Ní raibh mé in ann stopadh. D'fhéach mé
anonn ag bun an tseomra.

Ní raibh ann ach féachaint an-tapa. Níl ann ach
gur ardaigh mé mo dhá shúil le féachaint ar an áit
a raibh Aoibheann ina suí. Ach níorbh í Aoibheann
a d'fhéach anall orm. Colm a bhí ann. D'ísligh mé

---

* **tralaí:** trucail a bhfuil rothaí fúithi a úsáidtear le trádairí agus soithí a
thabhairt chuig an gcistin

mo cheann arís go beo ach bhí seisean tar éis mise a fheiceáil agus bhí mise tar éis é siúd a fheiceáil. Bhí sé tar éis a bhéal a fheiceáil ag oscailt mar a dhéanfadh madra crosta. Chonaic mé é ag ardú a láimhe maithe. Bhí a ordóg ardaithe aige. Rinne sé cruth gunna dá láimh, gunna a dhírigh go díreach ar **mo chloigeannsa***.

Stán** mé síos ar an mbord. Bhí fuil the ag pumpáil i mo cheann. Bhí **mearbhall***** ar m'intinn. Bhí fonn orm duine éigin a bhualadh. Bhí fonn orm béic a ligean. Shamhlaigh mé mé féin ag caitheamh mo chathaoireach agus ag leagan an bhoird. Ach

---

* **mo chloigeannsa:** mo cheannsa
** **Stán mé:** D'fhéach mé go géar
*** **mearbhall:** nuair a airíonn tú istigh i d'intinn go bhfuil tú ag dul timpeall agus timpeall

meatachán a bhí ionam. Ní dhearna mé tada. Shuigh
mé ann is mé ag coipeadh le fearg. Ansin, phioc mé
suas mo pheann.

Scriobláil mé ar fud an phictiúir den ghlantóir
agus an carn plátaí ar an tralaí. Scríob mé anonn is
anall le mo pheann. Ba ghearr go raibh an pictiúr den
ghloine uisce scriosta.

'Hé! Seachain!'

D'fhéach mé suas ar **scuaine*** an dinnéir, díreach
agus buachaill ón idirbhliain ag sciorradh agus ag
titim. Bhí cara leis tar éis é a bhrú. Shín sé amach a
lámh chun breith ar rud éigin. Rug sé greim daingean
ar an tralaí chun é féin a choinneáil ó bheith ag titim.
Ach bhí rothaí faoin tralaí agus thosaigh sé sin ag
bogadh.

Bhí sé ar nós bheith ag féachaint ar radharc ar an
teilifís a bhí á thaispeáint ar luas mall. Ghluais an
tralaí. Choinnigh mo dhuine greim air agus ansin
scaoil sé leis. Léim sé ar leataobh mar a dhéanfadh
cúl báire sacair. Thit an tralaí agus bhuail sé faoin
gcuntar. D'eitil plátaí agus bia tríd an aer agus
phléasc siad ar fud an urláir. Bhí chilli ag sileadh
anuas den chuntar ar nós fuil i scannán uafáis.
Sciorr píosaí briste pláta faoi na boird mar a bheadh
ciúbanna oighir ann.

* **scuaine:** líne an dinnéir

32

Bhí tost ann sa seomra.

Ansin bhí gach duine ag béiceach.

'Bhúú! Bhúhú! Dhí Há!'

Shílfeá go raibh stoirm thoirní tar éis an áit a bhualadh.

Ach níor lig mise aon bhéic asam. Stán mé ar na plátaí a bhí tarraingthe agam i mo leabhar sceitseála. Ansin stán mé ar na fíorphlátaí – na cinn a bhí ina smidríní ar fud an urláir. Ní raibh mé in ann é a chreidiúint. D'fhéach siad mar an gcéanna. Mar bhí na línte scriobláilte ar mo phictiúr ag meaitseáil go cruinn leis na mílte píosa de phlátaí bána a bhí ina luí, briste, ar fud urlár an cheaintín.

6
Seó Faisin

Tar éis eachtra an cheaintín, bhí cuma an-aisteach ar an gcuid eile den lá. Bhí mé ag crith agus bhí snaidhmeanna ar mo phutóga. Bhí na snaidhmeanna ann go fóill tar éis na scoile agus níos deireanaí an oíche sin. Bhí siad fós ann nuair a dhúisigh mé maidin Dé Céadaoin. Mothú gránna a bhí ann, mothú neirbhíseach a gheofá roimh scrúdú nó dá gcuirfeadh an Príomhoide fios ort.

An fliú a bhí orm? Nó faitíos?

Nó an de bharr nach raibh rud ar bith ite agam ar feadh na seachtaine ach criospaí agus Coke?

Ar aon nós, **chuaigh an mothú gránna in olcas*** Dé Céadaoin nuair a shiúlamar ar fad isteach sa halla don **tionól****. Gach Céadaoin, bhí rang éagsúil i bhfeighil ar an tionól.

---

* **chuaigh an mothú gránna in olcas:** d'éirigh an mothú níos measa
** **tionól:** cruinniú nó teacht le chéile grúpa mór daoine

Bhí sé go maith uaireanta, dá mbeadh dán greannmhar scríofa ag duine éigin, nó amhrán. Uaireanta bhí sé leadránach – duine éigin ag caint faoi thionscnamh Staire, nó teachtaireacht ó scoil i dtír eile. Ach an Chéadaoin sin bhí sé éagsúil.

Suas ar an stáitse le Bean Dáibhís agus dúirt sí le gach duine bheith ciúin. Choinnigh go leor daoine orthu ag caint, ach bhí mise i mo thost. Bhí na snaidhmeanna ar mo phutóga ag dul in olcas. Mhothaigh mé go raibh rud éigin uafásach ar tí tarlú.

'Tionól speisialta atá inniu againn,' arsa Bean Dáíbhís. 'Inniu, tá cineál seó faisin againn.'

Mhothaigh mé creathán fuar ag dul tríom.

'Tá a fhios agaibh ar fad go mbeidh an dráma scoile ar siúl an téarma seo,' arsa Bean Dáíbhís. '*A Midsummer's Night Dream*' atá ann i mbliana.'

Rud mór go maith a bhí sa dráma. Bhí páirteanna ag go leor daoine ón rang s'againne ann. Fiú Marcas, bhí páirt aige ann. Ní raibh líne ar bith le rá aige – ní raibh le déanamh aige ach siúl thart agus lampa a luascadh. Níl maith ar bith ionamsa ag aisteoireacht, mar sin ní raibh mé ag iarraidh bheith páirteach ann. Iarradh orm pictiúr a tharraingt do chlúdach an chláir, agus thaitin sé sin liom. Bhí rún agam dul chuig an dráma, díreach ar mhaithe le bheith ag gáire faoi Mharcas.

'Tá formhór na gcultacha faighte ar cíos againn ó áit sa chathair,' arsa Bean Dáibhís. 'Agus tá cuid eile atá deartha agus déanta go speisialta ag Aoibheann Nic Eoin sa chúigiú bliain.'

'Bhú Hú!' a bhéic Colm ó bhun an halla.

Lig gach duine gáire astu.

'Sea, go raibh maith agat a Choilm.' D'ardaigh Bean Dáibhís a lámh le ciúnas a fháil arís. 'Ar aon nós, cheapamar go raibh obair Aoibhinn chomh maith sin go raibh seó dá cuid féin tuillte aici.'

Thosaigh mo chroí ag léim i mo chléibh. Seo an obair a bhí ar siúl ag Aoibheann gach Aoine tar éis na scoile. **B'fhada liom*** go bhfeicfinn na cultacha a bhí déanta aici ach bhí faitíos chomh maith orm agus ní raibh a fhios agam cén fáth.

Shiúil Bean Dáibhís go cúl stáitse agus bhrúigh sí roinnt cnaipí ar chlár ann. Mhúch soilse an halla agus las spotsholas i lár an stáitse. Líon ceol an halla agus cuireadh tús leis an seó.

Cairde Aoibhinn a bhí mar **mhainicíní*** don seó faisin. A luaithe is a shiúil an chéad duine isteach faoin spotsholas, bhí a fhios agam go raibh an ceart

---

*   **B'fhada liom:** bhí mé ag súil go mór leis
*   **mainicíní**: daoine a chaitheann éadaí ag seó faisin le hiad a thaispeáint don lucht féachana

agam. Bhí an ceart agam bheith neirbhíseach agus bheith ag cuimhneamh go raibh rud éigin aisteach ar tí tarlú. Ní hé go raibh na cultacha aisteach – bhí siad go hiontach. Bhí siad deartha go han-chliste, iad fillte agus fuáilte le cruthanna suimiúla a dhéanamh. An rud a bhí aisteach ná an t-éadach a raibh na cultacha déanta astu. Bhí sé clúdaithe le pátrún a d'fhéach beagán cosúil le gréasán damhán alla. Ach ní shin a bhí ann ach oiread. An rud a bhí ann ná scriobláil.

'Aréir a rinne sí an pátrún,' a dúirt glór taobh thiar díom. Bean de Róiste a bhí ann, an múinteoir ealaíne. '**Rith an smaoineamh léi*** ag an deireadh seachtaine,' a deir sí. 'Inné, chuaigh sí amach agus cheannaigh sí pinn dhaite. Chaith sí an chuid eile den lá ag tarraingt pátrún ar fud na gcultacha.'

'Tá cuma iontach orthu,' arsa múinteoir eile.

B'shin an uair a chuimhnigh mé cén áit a bhfaca mé an an pátrún sin roimhe – i mo leabhar sceitseála! Bhí an cineál sin scrioblála ar fud na bpictiúr a bhí déanta agam d'Aoibheann agus í páirteach i seó faisin, ...

.... Aoibheann ag ól seaimpéin, Aoibheann agus a cuid cultacha ar fad ina timpeall. Bhí mé tar éis scriobláil ar fud na leathanach sin **le teann cantail**!**

---

*   **Rith an smaoineamh léi:** tháinig an smaoineamh isteach ina ceann
**   **le teann cantail:** de bharr a bheith crosta

D'éirigh mé i mo sheasamh, rinne mé mo bhealach thar cosa sínte agus málaí scoile agus rith mé amach as an halla. Rith mé chomh fada leis an leithreas ba ghaire. **Réab mé isteach ann***, d'oscail mé ceann de na doirse agus chaith mé amach a raibh de chriospaí agus Coke i mo bholg. Bhuail mo mhála an talamh agus thit mo leabhar sceitseála amach as. Chuimil mé mo bhéal le cúl mo láimhe agus d'fhéach mé síos ar an leabhar.

Bhí allas le mo chraiceann ach mhothaigh mé chomh fuar leis an sioc. Tharraing mé anáil mhór agus mé ag cuimhneamh ar an gcúpla lá a bhí caite.

I dtosach, bhí lámh ghearrtha Choilm ann. Ansin na plátaí briste. Agus anois, bhí Aoibheann tar éis scriobláil ar fud a cuid cultacha. Bhí sé tar éis tarlú trí huaire. Trí huaire, bhí mé tar éis rudaí a tharraingt i mo leabhar sceitseála agus trí huaire bhí rudaí tar éis tarlú dá bharr, rudaí a bhí le feiceáil sna pictiúir. Dhún mé mo shúile. Shíl mé go raibh an seomra ag casadh timpeall. Sheas mé i mo staic, ag iarraidh oibriú amach céard a dhéanfainn. Ní raibh a fhios agam an raibh mé tar éis fáil amach faoi rud iontach cliste nó rud iontach contúirteach.

Taobh amuigh sa phasáiste, chuala mé daoine ag

---

* **Réab mé isteach ann:** Phléasc mé isteach ann, Bhrúigh mé isteach ann go láidir

fágáil an halla. Ansin bhuail an cloigín don chéad rang. Phioc mé suas mo mhála, bhrúigh mé an leabhar sceitseála síos ann agus shiúil mé i dtreo an tSeomra Eolaíochta. Bhí mé chun tástáil a dhéanamh.

Leath bealaigh síos an pasáiste chuala mé bíp ó m'fhón póca. Téacs ó Mharcas a bhí ann.

'Cáwl tú? Tinn?'

Chuir mé téacs ar ais. 'Níl. Rún mór.'

Freaga níos faide a tháinig ar ais ó Mharcas. 'Aoibheann Nic Eoin do rún mór? Níl seans agat a mhaicín.'

Bhrúigh mé an fón síos go bun an mhála. Dá n-éireodh leis an tástáil, thaispeánfainn do Mharcas go raibh sé mícheart.

7
An Turgnamh

Thosaigh an chéad rang. A fhad is a bhí **turgnamh***
á dhéanamh ag an gcuid eile den rang, le
promhadán** agus carbónát chopair nó rud éigin,
bhain mise amach mo leabhar sceitseála agus peann.
Bhí turgnamh de mo chuid féin le déanamh agamsa.

Bhí mé tar éis socrú i m'intinn gan aon rud
contúirteach a thriail don phictiúr tástála – bhí mé
chun fanacht amach ó thimpistí agus tubaistí agus
rudaí aisteacha ar nós spásairí agus zombaithe.
Tharraing mé pictiúr díom féin agus ualach airgid
i ngach lámh liom. Rinne mé gáire dom féin – an-
phlean a bhí ann! Ní bheadh duine ar bith gortaithe.
Ní bheadh rud ar bith briste. An t-aon chontúirt a
bhí ann ná go n-éireoinn an-saibhir. Rinne mé marc
deireanach le mo pheann luaidhe – gáire mór ar mo

---

* **turgnamh:** tástáil nó triail a dhéanann eolaí chun eolas a fháil amach nó
eolas a chinntiú

** **promhadán:** tiúb gloine a úsáidtear go minic le turgnamh eolaíochta a
dhéanamh

bhéal. Ansin dhún mé an leabhar, leag mé uaim é agus phioc mé suas promhadán. A fhad is a bhí an tiúb á théamh ag an lasair ghorm, thosaigh mé ag brionglóideach faoi na rudaí a cheannóinn leis an airgead ar fad.

Fón nua, ríomhaire, X-Box, bróga reatha agus, dá mbeadh dóthain airgid ann, gluaisrothar.

Ach níor tháinig airgead ar bith mo threo. D'fhan mé ar feadh an lae. Níor thit aon chás lán d'airgead as carr a bhí ag dul thar bráid. Níor aimsigh mé ticéad *lotto* leis na huimhreacha cearta air i mo phóca. Ní raibh aon charn nótaí caoga euro i mo **thaisceadán*** agus ní bhfuair mé téacs ar bith ó mo Mham a rá go raibh seic mhór tagtha sa phost ó **dhuine muinteartha**** a bhí tar éis bás a fháil.

---

*   **taisceadán:** cófra miotail ar féidir glas a chur air
** **duine muinteartha:** duine a bhfuil gaol aige leat

Anois is arís, sheiceáil mé faoi chathaoireacha agus taobh thiar de dhoirse nó bhreathnaigh mé síos i mo mhála ach ní raibh rud ar bith ann. Ní raibh ann ach mo chuid leabhar, pinn agus péire stoca peile thíos ag bun ar fad. Ní raibh airgead ar bith ann.

Ní raibh **dé ar bith*** ar airgead Déardaoin ach oiread, mar sin d'oscail mé mo leabhar sceitseála arís. Chas mé na leathnaigh go dtí gur tháinig mé chuig an bpictiúr díom féin agus den airgead. Chuaigh mé siar thart ar na línte ar fad arís, leis an bpictiúr a dhéanamh níos soiléire.

Fós níor tharla **tada**.** Faoi dheireadh an lae bhí fonn orm éirí as. Níor éirigh le mo thurgnamh. Shiúil mé liom amach an geata is mé **in ísle brí*****.

'Tá pus ort a chasfadh an bainne,' arsa Marcas liom. 'Cad atá ag cur isteach ort?'

'Tada,' a deirimse. Ní raibh mise chun rud ar bith a rá le Marcas, fiú má bhí sé ar an gcara ab fhearr a bhí agam. Dá ndéarfainn leis gur cheap mé go bhfaighinn airgead go draíochtúil mar go raibh mé tar éis pictiúr a dhéanamh i mo leabhar sceitseála, cheapfadh sé go raibh mé as mo mheabhair. Agus seans go mbeadh an ceart aige.

---

*   **dé ar bith:** radharc ar bith
**   **tada:** rud ar bith, dada, faic
*** **in ísle brí:** brónach

'Sin é mo bhus anois,' arsa Marcas. 'Bíodh misneach agat. Amárach Dé hAoine.'

Ach fiú nuair a smaoinigh mé ar an rang dúbalta Ealaíne agus ar an tamall ina dhiaidh nuair a bheinn féin agus Aoibheann le chéile asainn féin, níor chuir sé sin **giúmar*** níos fearr orm.

Rith Marcas leis chuig stad an bhus. Chas mise le siúl i dtreo an ionaid siopadóireachta. Bhí mé ar buile liom féin. Cén tseafóid a bhí orm a chreid go bhfaighinn airgead dá dtarraingeoinn pictiúr? Agus mé ag tarraingt na gcos tríd an ionad siopadóireachta, stán mé ar an talamh agus chiceáil mé blúirí bruscair a bhí romham. Murach go raibh mé ag féachaint síos, seans nach mbeadh an sparán feicthe go brách agam.

Faoi bhinse a bhí sé díreach taobh amuigh den ollmhargadh. Chrom mé síos agus phioc mé suas é. Bhí mo chroí ag rásaíocht. Sparán plaisteach glas a bhí ann. D'fháisc mé é. Bhí boinn airgid taobh istigh – bhí mé in ann ciorcail chrua a mhothú tríd an bplaisteach. Agus bhí rud éigin eile ann – páipéar fillte. D'fhéach mé i mo thimpeall le cinntiú nach raibh duine ar bith ag féachaint. D'oscail mé an sparán.

*   **giúmar:** spion, aoibh

Chomhair mé €23 agus 15c – dhá nóta €10 agus slám píosaí airgid. Níorbh é an t-ualach mór airgid a bhí curtha sa phictiúr agam, ach airgead a bhí ann mar sin féin. Ní raibh dóthain ann le gluaisrothar a cheannach, ar ndóigh, ach d'fhéadfainn t-léine a bhí uaim a fháil. Nó d'fhéadfainn dhá thicéad a fháil le dul chuig scannán, b'fhéidir, chomh maith le paicéad *popcorn*. Ar cheart dom cuireadh a thabhairt do Mharcas? Nó **an mbeadh sé de mhisneach ionam**[*] Aoibheann a iarraidh ann? Ansin a chuimhnigh mé ar phlean iontach. Ní raibh le déanamh anois agam ach pictiúr a tharraingt díom féin agus Aoibheann ag an bpictiúrlann agus tharlódh sé.

'Bhú hú!' Rinne mé damhsa thart ar an mbinse.

---

[*] **an mbeadh sé de mhisneach ionam:** an mbeinn cróga nó misniúil go leor

8
San Ionad Siopadóireachta

Thosaigh mé ag tarraingt an phictiúir ar an bpointe. Shuigh mé síos ar an mbinse agus tharraing mé amach mo leabhar sceitseála. Bhí mé chun na rudaí ar fad a bhí uaim a tharraingt, na rudaí a bhí ródhaor le ceannach: carranna agus mótarbháid agus b'fhéidir teach mór nua do Mham agus Daid. Rothar álainn nua do mo dheirfiúr agus linn snámha don ghairdín. Chas mé an leathanach – bhí mé chun tosú le pictiúr díom féin agus de mo mhuintir agus sinn ar fad ar saoire i mBermuda. Ach stop mé sular bhuail mo pheann an páipéar.

Bhí páiste ag caoineadh. Bhí sé ar nós caitín a raibh duine éigin ag seasamh ar a eireaball. Ón taobh istigh den ollmhargadh a bhí **an gleo*** ag

* **an gleo:** an torann

teacht. Bhí sé chomh hard sin go raibh sé ag cur as
dom. D'fhéach mé tríd an bhfuinneog. Bhí bean
ag an gcuntar agus bhí sí ag iarraidh íoc as a cuid
siopadóireachta. Bhí beirt pháiste aici; leanbh beag
a bhí ina codladh sa bhugaí agus buachaillín óg
a bhí ag breith ar an hanla. Is é an buachaill a bhí

ag caoineadh. Bhí dath dearg ar a éadan agus bhí **smaois*** ag sileadh óna shrón.

Ansin thug mé faoi deara go raibh an bhean trína chéile. Bhí sí ag iarraidh rud éigin a mhíniú le fear an tsiopa agus í ag cuardach a pócaí ag an am céanna. Bhí cuma an-bhuartha ar a héadan. Bhí a fhios agam ar an bpointe go raibh rud éigin mícheart. Bhí sé tar éis a sparán a chailleadh.

Isteach liom.

'Gabh mo leithscéal,' a dúirt mé leis an mbean. 'Ar chaill tú é seo?' Shín mé chuici an sparán glas.

'Ní chreidim é!' a deir sí. 'Ó, go raibh míle maith agat. Go raibh míle, míle maith agat.' Leath gáire ar a héadan agus thóg sí uaim an sparán. D'oscail sí é agus bhain sí amach an dá nota €10. Ansin dhún sí a súile agus d'fháisc sí an sparán lena **hucht****. 'Bí ag caint ar fhaoiseamh! Cheap mé nach mbeadh dinnéar ar bith ag na páistí tráthnóna,' a dúirt sí. D'oscail sí a súile agus d'fhéach sí orm. 'Conas is féidir liom tú a **chúiteamh*****?'

Smaoinigh mé ar t-léine a iarraidh nó ticéid do scannán. Ach sula raibh deis agam freagra a thabhairt, bhain sí amach paicéad criospaí ó cheann dá málaí agus shín sí chugam iad.

*   **smaois:** smuga
**   **ucht:** cliabh, brollach
*** **cúiteamh:** íoc (díol) ar ais

'Seo dhuit,' a deir sí, 'Go raibh maith agat faoi bheith chomh **hionraic*** sin.'

'Ná habair é,' arsa mise agus mé ag féachaint ar an bpaicéad criospaí. Ní cúiteamh ró-iontach a bhí ann.

D'ith mé na criospaí agus mé ag siúl abhaile. Ní raibh mo phlean tar éis oibriú amach mar a shamhlaigh mé. Ní raibh mé tar éis **ualach**** airgid a fháil sa tslí a raibh mé ag súil. Bhí €20 faighte agam, ar feadh dhá nóiméad nó mar sin. Ach ba chuma – an chéad uair eile, chuirfinn tuilleadh airgid sa phictiúr. Tharraingeoinn na rudaí ar fad ba mhian liom a tharlódh freisin: mise ag fáil marcanna maithe i mo chuid scrúduithe, mise ag casadh giotáir agus mé i racghrúpa cáiliúil, agus mise ag siúl amach le hAoibheann. Fiú mura dtarlódh ach leath an mhéid sin, bheadh sé go hiontach.

An oíche sin, shuigh mé ar mo leaba agus líon mé mo leabhar sceitseála. Tharraing mé gluaisrothair agus gluaisbháid. Tharraing mé mo phócaí lán le cártaí creidmheasa agus mo vardrús lán le barraí óir. Tharraing mé Colm Bairéad agus é fuar marbh, sínte ina chónra. Tharraing me Aoibheann ag suí isteach i mo spórtcharr nua. Tharraing mé an bheirt againn ag pógadh ar thrá i Marocó. Thit mé i mo chodladh agus

---

* **ionraic:** an rud atá ceart agus fírinneach a dhéanamh
** **ualach:** carn mór

mé ag brionglóideach faoin teach a cheannóimis agus an saol a bheadh againn, muid ag taisteal ar fud an domhain inár n-eitleán príobháideach féin.

Bhí mé chomh bíogtha sin le linn an rang Ealaíne Dé hAoine nach raibh mé in ann fanacht i mo shuí go socair i mo shuíochán. Mhothaigh mé ar nós páiste a bhí **ag réiteach*** le dul chuig cóisir lá breithe.

'Céard atá ort, a mhac bán?' arsa Marcas. 'An bhfuil dreancaidí i do **threabhsar****? Ba cheart duit dul chuig an dochtúir, más ea.'

'Níl rud ar bith orm,' a dúirt mé.

Bhí a fhios ag Marcas gur bréag a bhí inste agam.

'Tá go maith,' a deirimse. 'Tá rud éigin orm. Ach ní féidir liom insint duit faoi, ar fhaitíos nach n-oibreoidh sé.'

'An é seo do phlean rúnda maidir le hAoibheann álainn a mhealladh?' a d'fhiafraigh Marcas.

'B'fhéidir.' Bhí m'éadan ag éirí dearg.

'Tá tú chun í a iarraidh amach, nach bhfuil?' arsa Marcas. 'Botún mór, a mhac bán. Má chloiseann Colm faoi, déanfaidh sé smidiríní díot.'

Bhain mé searradh as mo ghuaillí. Cheap Marcas go raibh mé as mo chiall. Ach ní raibh a fhios ag

* **ag réiteach:** ag ullmhú
** **treabhsar:** bríste

52

Marcas nach mbeadh Colm in ann smidiríní a dhéanamh díom mar go mbeadh sé siúd sínte ina chónra, díreach mar a bhí sé tarraingthe agam sa phictiúr a rinne mé de.

Bhuail an clog agus rith mé liom síos an pasáiste. B'fhada liom go mbeinn i mo shuí sa seomra Ealaíne.

9

An Gluaisrothar

Den chéad uair riamh, mhothaigh mé fada an rang Ealaíne. Bhíomar ceaptha bheith ag obair ar ár gcuid potaí cré ach bhí mo cheannsa tar éis triomú amach. Bhí mé tar éis dearmad a dhéanamh clúdach plaisteach a chur air lena choinneáil tais. Dúirt Bean de Róiste liom an chré a fhliuchadh arís, mar sin chuir mé mo phota sa doirteal agus chuir mé ar siúl an sconna.

D'fhéach mé anonn ar Aoibheann. Bhí pota iontach aici siúd. Bhí cruth cuarach air agus dath álainn donn.

'A Joe!' arsa Bean de Róiste. 'Céard atá ar siúl agat?'

Léim mé leis an ngeit a bhain sí asam.

'Tá sé millte agat,' a deir sí.

D'fhéach mé síos ar mo phota féin sa doirteal. Bhí mo phota ina chnapán fliuch cré.

'Beidh ort tosú as an nua,' arsa Bean de Róiste.

Ba chuma liom má bhí an pota millte féin. Ní raibh

le déanamh agam ach pictiúr a dhéanamh de phota deas **slachtmhar*** agus chuirfeadh sé sin an scéal ina cheart. D'fhéach mé suas ar an gclog os cionn an dorais. Ní raibh fágtha ach deich nóiméad go dtí go mbuailfeadh sé. Deich nóiméad go dtí go ndéarfadh Aoibheann liom gur bhreá léi dul amach liom. Ach ní raibh mé in ann fanacht chomh fada sin. Phioc mé suas an cnapán cré, leag mé anuas ar chlár adhmaid é agus shiúil mé ar ais chuig mo bhinse. Ach níor shiúil mé ann an bealach díreach. In ionad sin a dhéanamh, shiúil mé thar Aoibheann.

*   **slachtmhar:** néata, go deas ag féachaint

Bhí mo chroí ina dhruma mór arís agus mé ag teacht suas lena binse. Bhí mé ag iarraidh smaoineamh ar rud éigin cliste a rá faoina pota. Stop mé soicind ag smaoineamh. Thit slám cré anuas de mo chlár adhmaid.

SPLEAIT! Leaindeáil sé anuas ar a pota álainn, ar nós cac madra ar bhrat nua urláir.

'Hé!' arsa Aoibheann.

'Ó!' arsa mise, ar nós amadáin. 'Tá **fíorbhrón*** orm.' Thriail mé an chré a chuimilt anuas de ach rinne mé níos measa é. Anois bhí cré fhliuch smeartha i ngach áit agus marcanna méar fágtha ar an bpota a bhí go hálainn slachtmhar nóiméad roimhe. Thóg mé coiscéim siar. 'Tá brón orm,' a dúirt mé arís.

Shuigh mé i mo shuíochán agus leag mé mo cheann anuas ar mo dheasc. Lig mé osna. Bhí mé tar éis praiseach cheart a dhéanamh den scéal. Ní shiúlfadh Aoibheann amach liom go brách anois.

Faoi dheireadh, bhuail an cloigín. Rith an chuid eile den rang amach an doras. Ar cheart dom féin bailiú liom in éineacht leo an tseachtain seo, sula mbeadh praiseach níos measa déanta agam? Ach bhí orm iarracht amháin dheireanach a dhéanamh labhairt le hAoibheann. Bhí orm creidiúint go

---

*   **fíorbhrón:** an-bhrón

bhféadfadh mo chuid pictiúr **mo shaol a athrú chun feabhais***.

'Go n-éirí an t-ádh leat, a mhac bán,' arsa Marcas agus é ag siúl amach. 'Mar beidh an t-ádh ag teastáil go géar uait.'

D'fhan mé i mo shuíochán agus d'fhéach mé ar an bpota millte. Bhí mo chroí **ag greadadh**** arís. Bhí Aoibheann fós ina suí ag a binse féin. Ansin d'éirigh sí agus shiúil sí i mo threo. Bhí mo chroí ag imeacht ar nós capall rása anois.

'Hé a Joe,' a deir sí.

Tharraing mé anáil agus rinne mé iarracht rud éigin a rá, ach níor tháinig focal ar bith as mo bhéal.

'An bhfuil cead agam féachaint ar do chuid sceitseanna?'

'Céard é féin?' a dúirt mé. Ní raibh mé ag súil leis an gceist sin.

'Na cartúin sin a rinne tú díom,' a dúirt sí. 'Tá siad an-mhaith.'

Bhí mo lámha ag crith agus mé ag baint an leabhair sceitseála amach as mo mhála. D'oscail mé an clúdach agus chas mé na leathanaigh. Bhí mé ag iarraidh a chinntiú nach bhfeicfeadh sí na pictiúir den bheirt againn ag pógadh nó an ceann

---

*   **mo shaol a athrú chun feabhais:** mo shaol a dhéanamh níos fearr

*   **ag greadadh:** ag bualadh

de Cholm agus é sínte marbh sa chónra. Fuair mé na sceitseanna a bhí déanta agam d'Aoibheann ag obair, a cuid gruaige curtha siar taobh thiar dá cluas, a cuid fiacla geala ag luí anuas ar a liopa.

'Iontach!' a dúirt sí. 'Tá tú thar barr ag sceitseáil. Ar mhaith leat dul chuig an gColáiste Ealaíne nuair a fhágfaidh tú an scoil?'

'B-b-ba mhaith,' a deirimse. 'Ba bhreá liom é.'

Chas mo bholg le sonas agus le háthas. Cheap Aoibheann go raibh mé go hiontach! Cheap sí go raibh mé thar barr! Bhí sí tar éis mé a mhaitheamh faoina pota álainn a mhilleadh. Bhí sé ag oibriú. Bhí rudaí maithe chun tarlú dom de bharr mo chuid pictiúr.

'Hé! Joe an Gealt!' a bhéic Colm. Bhí sé ina sheasamh ag an doras. Ní raibh sé marbh agus ní raibh sé sínte i gcónra ar bith. Bhí sé **beo beathaíoch*** agus bhí cuma an-chrosta air. 'Lig do mo chailín nó maróidh mé thú!' a deir sé. Rinne sé doirn dá lámha agus stán sé orm.

Réitigh mé mé féin don troid. Bhí a fhios agam go mbeadh sé pianmhar agus bhí a fhios agam go ndéanfadh Colm smidiríní díom ach bhí mé chun troid ar son Aoibhne agus b'fhiú é. Bhí mé cinnte gur agamsa a bheadh an bua ar deireadh, mar go raibh mé tar éis pictiúr a tharraingt díom féin agus

---

*   **beo beathaíoch:** an-bheo

Aoibheann le chéile.

Ní raibh ach cúpla céim tógtha ag Colm isteach sa seomra nuair a stop Aoibheann é.

Bhrúigh sí siar é lena dhá lámh, ar ais i dtreo an dorais.

'Seo linn,' a deir sín, 'seo linn anois, amach as an áit seo.'

D'fhéach Colm siar orm. 'Béarfaidh mise ort go fóill, a phleota,' a deir sé.

Bhailigh siad leo an doras amach. Bhí sí imithe in éineacht le Colm.

Bhí mearbhall ar mo cheann. Céard a bhí tar éis tarlú? Bhí ag éirí go hiontach liom agus ansin bhí mo phlean tar éis titim as a chéile, díreach ar nós mo phota cré. Bhí fonn orm duine éigin a bhualadh. Bhí fonn orm rud éigin a bhriseadh. Phioc mé suas mo leabhar sceitseála agus stróic mé amach na sceitseanna ar fad a bhí déanta agam d'Aoibheann. Rinne mé burlaí díobh agus chaith mé trasna an tseomra iad. Ghearr an páipéar mo mhéara ach ba chuma liom é sin. Chaith mé an leabhar síos ar an mbord agus tharraing mé chugam féin péire siosúr. D'ardaigh mé mo lámh agus sháigh mé an leabhar leis an siosúr géar, arís agus arís eile. Ghearr an bior géar na leathanaigh. Ba ghearr go raibh poill iontu, iad stróctha anonn is anall. Faoi dheireadh, phioc mé suas an leabhar **stollta*** stróctha agus chaith mé in aghaidh an bhalla é. Bhuail sé seilf de phrócaí péinte. Thit na prócaí. Phléasc siad ina smidiríní ar an urlár.

Thit an leabhar sceitseála as a chéile agus d'eitil na leathanaigh ar fud an urláir. Steall péint ar fud na háite. Péint dhearg. Ansin....

SCRÉÉÉÉACHHHH...CRAIS!

Bhí gleo uafásach ann taobh amuigh. Bhí sé ar nós an fhuaim sin i scannán nuair a thagann deireadh le **tóraíocht carranna**** agus buaileann na carranna ar fad isteach ina chéile. Sheas mé i mo staic. Ansin chuala mé glór ag sréachaíl.

'NÍÍÍ FÉÉÉIDIR!'

Aoibheann a bhí ann.

'Céard atá déanta agam?' a dúirt mé liom féin. D'fhéach mé síos ar leathanaigh an leabhair sceitseála. Bhí gluaisrothair agus spórtcharranna ann, iad stróctha agus cnaptha. Bhí na sceitseanna d'Aoibheann agus de Cholm clúdaithe le poill agus péint dhearg – péint chomh dearg le fuil.

'Céard atá déanta agam?' a dúirt mé arís. 'Tharraing mé Colm ina luí i gcónra. Tharraing mé a shochraid. Anois tá sé maraithe agam! Is dúnmharfóir mé!'

---

* **stollta:** pollta
** **tóraíocht carranna:** carranna ag rásaíocht i ndiaidh a chéile agus iad á dtiomáint ar bhealach an-chontúirteach

10
Aoibheann agus Mise

Rith mé amach an doras agus síos i dtreo gheataí na scoile. An radharc a chonaic mé romham, chuir sé ionadh orm.

Bhí Colm go breá. Bhí sé ina sheasamh ar an gcosán, díreach taobh amuigh den gheata. Os a chomhair amach bhí gluaisrothar, é caite ar a thaobh i lár an bhóthair. Trasna uaidh, bhí carr ann agus bhí log ina dhoras a bhí ar aon mhéid leis an ngluaisrothar. Agus taobh leis an gcarr, chonaic mé dhá chorp. Aoibheann ab ea duine acu.

'Ní féidir!' a dúirt mé. Ach ansin, bhog corp amháin. Bhí Aoibheann beo beathaíoch! 'Tá sé siúd gortaithe,' a bhéic sí, agus í ag síneadh a méire a i dtreo an choirp eile. 'Cuir fios ar otharcharr!'

Chaoch mé mo dhá shúil le bheith cinnte nach raibh dul amú orm. Ach ní raibh – bhí sí ceart go leor. Bhí sí ar a glúine in aice le fear an ghluaisrothair.

Ní raibh cor ar bith as* siúd. Bhí gearradh gránna
ar chúl a choise aige. Bhí fuil i ngach áit agus bhí
droch-chuma ar an scéal. Ní raibh mé in ann a éadan
a fheiceáil mar go raibh **clogad**** dubh air, ach bhí
a fhios agam cé a bhí ann. Lead ón séú bliain darbh
ainm Oisín a bhí ann. Thagadh sé ar scoil gach lá ar a
ghluaisrothar.

'Ná seas ansin i do staic,' arsa Aoibheann. 'Déan
rud éigin!'

An liomsa a bhí sí ag caint nó le Colm? Ní raibh mé
in ann a dhéanamh amach.

* **Ní raibh cor ar bith as:** ní raibh sé
   ag bogadh
** **clogad:** saghas hata crua a
   chaitheann tiománaithe
   gluaisrothar chun a gcloigeann
   a chosaint i gcás timpiste.

'Is beag nár bhuail sé sinn,' a bhéic Colm. 'Is amadán é. Níor cheart é a ligean suas ar ghluaisrothar muna bhfuil sé in ann é a thiomáint.'

'Dún do chlab, a Choilm,' arsa Aoibheann leis **go grod***. Bhí sí feargach agus bhí faitíos uirthi. 'Ní ar Dharach a bhí an locht, ach ort féin! Is tusa an t-amadán! Is tusa a shiúil amach os a chomhair. Bhuail sé isteach faoin gcarr chun tusa a sheachaint.'

Bhí a fhios agam nach raibh an ceart ag ceachtar acu. Ormsa a bhí an locht. Mise ba chúis leis an timpiste mar gheall ar an méid a rinne mé nuair a scrios mé mo leabhar sceitseála. B'éigean dom rud éigin a dhéanamh anois chun an scéal a chur ina cheart. Tharraing mé amach m'fhón póca, bhuail mé trí huaire ar uimhir a naoi agus bhuail mé an cnaipe glas ar an scáileán. Chuala mé *clic* agus ansin glór a d'fhiafraigh díom cé acu seirbhís a bhí uaim – dóiteán, na Gardaí nó otharcharr.

'Otharcharr,' a dúirt mé. 'Tá timpiste ann. Tiománaí gluaisrothair. Ceapaim go bhfuil sé gortaithe **sách dona****.' Thug mé seoladh na scoile agus dúirt an glór liom go mbeadh an t-otharcharr ann gan mhoill.

'Tá cúnamh ar an mbealach,' a dúirt mé.

---

* **go grod:** go tobann, crosta
** **sách dona:** dona go leor

Chlaon Aoibheann a ceann mar fhreagra ach bhí cuma an-bhuartha uirthi i gcónaí.

D'fhéach mé ar Oisín. Ní raibh sé tar éis bogadh agus bhí fuil go leor ag sileadh den **chréacht*** ar a chos. B'fhéidir go gcaillfí é de bharr bheith ag cur fola sula dtiocfadh an t-otharcharr. Dá dtarlódh sé sin, bheinn i mo dhúnmharfóir go cinnte.

'Níor cheart dúinn a chlogad a bhaint de ar eagla go bhfuil a mhuineál gortaithe,' arsa mise le hAoibheann. 'Ach ba cheart dúinn féachaint an bhfuil sé ag tarraingt anála.'

'Tá,' arsa Aoibheann. 'Tá a chliabh ag bogadh.'

'Ceart go leor,' a deirimse. 'Caithfimid an cur fola a stopadh. Fáisc ar dhá thaobh an chréachta le do dhá lámh agus imeoidh mise le tuilleadh cúnaimh a fháil.' Rith mé ar ais isteach sa scoil.

Bhí an tUasal Puirséal istigh sa halla. D'inis mé do go raibh timpiste ann agus go raibh mé tar éis glaoch ar an otharcharr. Dúirt Puirséal liom dul amach agus fanacht taobh amuigh go dtí go bhfaigheadh sé **an bosca garchabhrach****.

Rith mé amach chuig an ngeata arís agus shuigh mé síos in aice le hAoibheann.

---

*   **créacht:** an áit a raibh sé gearrtha, an áit as a raibh an fhuil ag sileadh
** **an bosca garchabhrach:** bosca a mbíonn ábhar ann a bhíonn ag teastáil i gcás timpiste – bindealáin agus a leithéid

'Tá Puirséal ag fáil bosca garchabhrach' a dúirt mé.

'Ba cheart dúinn cos Oisín a ardú agus coinneáil orainn **ag fáisceadh*** ar dhá thaobh an chréachta.'

'Tá go maith,' arsa Aoibheann.

Chroch mise cos Oisín agus bhrúigh mé ár málaí scoile isteach fúithi. Bhí Aoibheann ag crith ach choinnigh sí uirthi ag fáisceadh an chréachta. Bhí fuil ar fud a lámha aici.

Lig Oisín **liú olagóin**** as, ón taobh istigh den chlogad. Bhí pian air, ach ar a laghad ní raibh sé caillte.

'Tá tú ceart go leor, a Oisín,' arsa Aoibheann. 'Ná bog. Tá otharcharr ag teacht.' Bhain sí lámh amháin anuas dá chos, ag dúnadh agus ag oscailt na láimhe ar feadh nóiméid.

'Tá do lámha tuirseach,' a dúirt mise. 'An ndéanfaidh mise ar feadh tamaillín é?'

'Tá sé ceart go leor,' arsa Aoibheann. 'Ach féadfaidh tú cabhrú. Cuirfidh muid stop leis an gcur fola an bheirt againn.'

Shín mé anall agus chuir mé mo lámha ar an gcréacht in aice a lámha sise. Bhí fuil Oisín ag sú isteach i muinchille mo léine. Bhí Oisín bocht fós ag cur fola, ach i bhfad níos lú anois.

---

*   **ag fáisceadh:** ag brú le chéile
** **liú olagóin:** fuaim a thug le fios go raibh pian air

A fhad is a bhíomar ag fanacht ar Phuirséal agus ar an otharcharr, d'fhéach mé thart.

'Cá bhfuil Colm?' a d'fhiafraigh mé.

'Imithe,' a dúirt Aoibheann. 'Cur amú ama atá sa leaid sin. **Chuir mé an ruaig air*.**'

Léim mo chroí istigh i mo chliabh.

'Dáiríre?' a dúirt mé.

'Dáiríre píre,' a dúirt sí. 'Bhí mo dhóthain agam de. Is bulaí é. Cheap sé gurbh eisean m'úinéir, an bealach a labhraíodh sé. Bhuel ní hé, is air siúd atá an locht gur bhuail Oisín faoin gcarr. Ní dhearna sé tada ach seasamh ansin, gan aon chúnamh a thabhairt. Dúirt mé leis nach raibh mé ag iarraidh baint ná páirt a bheith agam leis níos mó.'

'Tuigim,' a dúirt mé.

'Ach bhí tusa go hiontach,' a dúirt sí. 'Bhí a fhios agat na rudaí cearta a bhí le déanamh agus ní raibh *bother* ar bith ort. Cár fhoghlaim tú an méid sin ar fad faoi ghortú muiníl agus cos a ardú agus cur fola a stopadh?'

'Umm, ar an teilifís, is dóigh,' arsa mise. Bhí mo chroí ag pléascadh. Ní raibh mé in ann é a chreidiúint. Bhí mé ag breith láimhe ar Aoibheann Nic Eoin agus bhí sí ag insint dom go raibh mé go hiontach.

---

* **Chuir mé an ruaig air:** dúirt mé leis imeacht, bailiú leis

Bhí na rudaí a bhí curtha sna sceitseanna agam ag tarlú, os comhair mo dhá shúil. Ní raibh gach rud díreach mar a tharraing mé é, ach bhí mé breá sásta leis mar a bhí.

D'fhéach Aoibheann orm agus leath aoibh gháire ar a béal.

'Ar mhaith leat dul chuig scannán liom anocht?' a d'fhiafraigh mé.

'Ok,' a deir sí, 'ba mhaith.'

***

Na laethanta seo, ní bhím ag tarraingt pictiúr de chónraí ná de shochraidí. Fanaim amach ó phéint dhearg.

Tháinig Oisín chuige féin go breá. Chaith sé cúpla seachtain san ospidéal agus bhí sé amuigh ón scoil ar feadh píosa ina dhiaidh sin arís. Nuair a d'fhill sé ar an scoil, d'iarr sé mise agus Aoibheann amach le haghaidh píotsa, le buíochas a ghabháil linn faoina shaol a shábháil.

Tá áthas orm nach bhfuair Colm bás, mar dá bhfaigheadh, bheadh orm an chuid eile de mo shaol a chaitheamh ag cuimhneamh gur mise ba chúis leis bheith marbh. Tuigim anois go raibh sé gránna bheith ag samhlú go raibh sé marbh.

Tá a fhios agam go bhfuil sé craiceáilte bheith ag smaoineamh gur mise ba chúis leis an timpiste. Tá a fhios agam anois nár tharla an méid a tharla díreach mar gur tharraing mise cúpla pictiúr. Sin an cineál ruda a tharlaíonn i leabhair agus i scannáin – ní sa ghnáthshaol. Tá mé an-sásta go bhfuil Colm fós beo.

Agus tá mé an-sásta gur scar sé féin agus an cailín a bhíodh ag siúl amach leis. Liomsa a shiúlann sí amach anois. Chuala tú i gceart mé: mise agus Aoibheann Álainn Nic Eoin!

Ábhar Tacaíochta

Tá fáil SAOR IN AISCE ar acmhainní breise tacaíochta don seomra ranga don tsraith úrscéalta seo. Cruthaídh an t-ábhar tacaíochta seo i gcomhar le múinteoirí agus tá fáil air ónár suíomh idirlín, **www.futafata.ie**

Ar fáil ar an suíomh/available online www.futafata.ie

Bhreathnaigh Ciarán Ó Mianáin ar an bpíosa páipéir. Chonaic sé an pictiúr a bhí tarraingthe ag Máirtín Mangó. Cartún gránna a bhí ann.

Cartún de chuileog bheag.

Éadan Chiaráin Uí Mhianáin a bhí ar an gcuileog.

Bhí an chuileog ina suí ar chac madra.

"Mmmm, neam neam," arsa an cuileog Ciarán Ó Mianáin sa phictiúr. "Is breá liom an blas deas a bhíonn ar chac madra."

Nuair a chonaic Ciarán Ó Mianáin an cartún sin, phléasc rud éigin taobh istigh ann. Bhí sé tinn tuirseach den mhagadh. Bhí sé tinn tuirseach de Mháirtín Mangó. Bhí sé tinn tuirseach de gach rud.

"Tá mé tinn tuirseach díot, a Mháirtín Mangó!" a bhéic Ciarán Ó Mianáin. "Breathnaigh air seo! Taispeánfaidh mé duit go BHFUIL mé in ann cuileog a dhéanamh díom féin!"

34

éigin go glórach.

Fear an Fháinse-chláir a bhí ann agus feisteas ceart réiteora aic. Amach le Rónán **de shodar** sa lárchiorcal. Amach le Cillian Seoighe freisin.

Stán Cillian ar Rónán agus rinne sé **scig-gháire**. "Céard é seo?" ar sé. "Níl raibh mé ag súil le thusa a fheiceáil ar ais arís chomh luath sin. Tá tú ar bí do chuid scileanna a thaispeáint dom, nach bhí B'fhéidir gur chóir dom seans a thabhairt duit. fanfaidh mé go bhfeicim ag imirt thú."

29

Futa Fata

Tuilleadh úrscéalta sa tsraith seo:

Frank Cottrell Boyce
Leagan Gaeilge le
Tadhg Mac Dhonnagáin

Níl duine ar bith ag iarraidh bheith mór le Rónán go dtí go mbaineann sé triail as 'Galánta', lóis iarbhearrtha as seanbhuidéal a fhaigheann sé mar bhronntanas óna Dhaideo. Anois tá na cailíní ar fad ag rith ina dhiaidh! Anois níl suaimhneas ar bith ag Rónán.... ISBN: 978-1-906907-93-8

John Townsend
Leagan Gaeilge le
Tadhg Mac Dhonnagáin

Cloiseann Barra scéal rúnda atá uafásach – tá buama, atá curtha i bhfolach ar ,fear ar tí eitleán lán daoine a phléascadh ina smidiríní.
An féidir leis féin agus a chara, Lára, iad a shábháil?
ISBN: 978-1-906907-95-2

72

Malorie Blackman
Leagan Gaeilge le
Patricia Mac Eoin

'Déanfaidh mé cinnte nach
bhfeicfidh tú do Dhaid go
deo arís!' Fuadaithe. Tógtha
ina aghaidh a tola go teach
iarghúlta. Dallóg curtha ar a
súile. Cá bhfuil Cáit agus cad a
tharlóidh di? An dtiocfaidh sí
slán ón gcruachás ina bhfuil sí?
ISBN: 978-1-906907-86-0

David Gatward &
Seb Camagajevac
Leagan Gaeilge le
Patricia Mac Eoin

Tá clástrafóibe ar Aoife ach
caithfidh sí aghaidh a thabhairt
ar an bhfadhb seo nuair a
théann sí ar thuras scoile chuig
pluais. Scéal eachtrúil faoi
aghaidh a thabhairt ar na rudaí
a chuireann faitíos ort.
ISBN: 978-1-906907-60-0

cathy brett

Tá Cathy Brett ina cónaí i Surrey Shasana. Tá sí ag tarraingt agus ag sceitseáil ón gcéad lá go raibh sí in ann breith ar chrián. De réir a chéile, thosaigh sí ag scríobh roinnt focal le cur lena cuid pictiúr. Níorbh fhada go raibh cúpla leabhar scríofa aici. Agus cé go gcaitheann sí cuid mhaith dá cuid ama na laethanta seo ag obair ar na focail, creideann sí go láidir i gcónaí gur fiú pictiúir a bheith i leabhar mar go gcuireann siad, ar bhealach eile, leis an scéal.